郑栗儿/著

苏力卡/绘

大师密码 A－Z系列

大师密码D

勇闯地狱救母亲

U0837255

人民东方出版传媒
People's Oriental Publishing & Media
東方出版社
The Oriental Press

图书在版编目（CIP）数据

大师密码 . D. 勇闯地狱救母亲 / 郑栗儿著；苏力卡绘 . —北京：东方出版社，2015.2
ISBN 978-7-5060-8016-3

Ⅰ.①大… Ⅱ.①郑… ②苏… Ⅲ.①儿童故事—作品集—中国—当代 Ⅳ.① I287.5

中国版本图书馆 CIP 数据核字 (2015) 第 030722 号

本书由台湾东初文化事业股份有限公司独家授权
中文简体字版专有权属东方出版社
著作权合同登记号 图字：01-2014-7457 号

大师密码 D：勇闯地狱救母亲
（DASHI MIMA D: YONG CHUANG DIYU JIU MUQIN）

作　　者：郑栗儿
绘　　者：苏力卡
产品经理：张媛媛
责任编辑：张媛媛
出　　版：东方出版社
发　　行：人民东方出版传媒有限公司
地　　址：北京市东城区朝阳门内大街 166 号
邮政编码：100706
印　　刷：小森印刷（北京）有限公司
版　　次：2015 年 4 月第 1 版
印　　次：2016 年 3 月第 2 次印刷
印　　数：4 001—9 000 册
开　　本：720 毫米 ×950 毫米 1/16
印　　张：4
字　　数：36 千字
书　　号：ISBN 978-7-5060-8016-3
定　　价：18.00 元
发行电话：（010）64258117 64258115 64258112

目　录

出版前言

每个父母都希望孩子未来能出类拔萃，并在孩子的教育问题上倾尽心力。

许多孩子长大后成熟乐观，在社会上如鱼得水，但不少人成年后并不快乐。他们即使地位显赫、经济条件优越，依然郁郁寡欢。带来快乐的因素有很多，其中起决定作用的则是人格。面对同样的问题，不同的人格往往造就不同的结果。

怎样才能培养健全的人格？我们不妨到传统文化中去寻找答案。几千年来，儒、道、佛相得益彰，共同塑造着国人的精神世界。儒家关切社会的治理，道家关怀生命自然状态的保持，而佛家则关心人生痛苦的解除。故此，历史上就有“儒家治世、道家治身、佛家治心”的说法。

今天很多人习惯于将佛教简单理解为一种宗教，有的人甚至认为它是封建迷信。如果去掉宗教的外衣，它其实是一座充满智慧，兼具心理、品德教育功能的文化宝库。

为此，我们从台湾引进了这套“大师密码”A–Z 系列。这套书以 130 个佛教大师的成长故事，体现了 130 个美好的人格特质。沉着、孝顺、无畏、远见……从这些有趣的故事里，孩子们不但可以学会如何获得成功，更能明白如何倾听内心的声音，获得快乐。

这套书结构编排巧妙，集合了台湾优秀的作家及插画师。书中故事生动活泼，插画精美，在台湾广受好评，曾获得台湾“第 27 次中小学生优良课外读物推介”。相信它同样会得到大陆青少年朋友的喜爱。

大师的密码　成功的特质

在我还是青少年时，就很喜欢阅读佛教大师的传记故事。可以说，我的人格就是从阅读大师的史传故事，点点滴滴建立起来的。

不论大人、小孩都喜欢读故事，法鼓文化历时两年的筹备，制作了这套有丰富精美插画的“大师密码”A–Z系列。这套书中，选出130个“大师的美好特质”，一个特质就是一个大师故事，让孩子在趣味的故事中自然吸收大师的养分。

我曾指出佛教的高僧必须具有四大条件：持戒清净、修行精进、慈悲济众与护持佛法；如果转换成现代人的语汇，就是自律、认真、宽大、懂得回馈，而这些正是所有成功人士必备的条件。

很多家长以为孩子学佛会变得消极、不具竞争力；如果从大师的四大条件来看，这样的想法完全错误！孩子接触佛法绝对会更积极、健康，能为他们的一生奠定稳固的基础。

大师们的成就绝非偶然，也没有人一出生就是大师，父母应该提供这样的环境，让人格正在成长形塑中的孩子，吸收历代大师们的生命菁华，转化为他们自己的。我相信这一套“大师密码”A–Z系列，能够成为孩子们成长的助缘！

聖嚴

台湾法鼓山禅修文教体系创办人

一张口能说三十六种语言

大师密码 Devotion 奉献

英文总是学不好吗？想知道佛经翻译家竺法护精通三十六种语言的窍门吗？

身为中亚月支族人，父母原本只希望他能到中国好好找个工作。想不到他竟然学会三十六种语言，大概称得上是古今中外“语言天才”第一名了！

或许你以为竺法护是为了功成名就才学这么多语言，错了！其实他原本只是很单纯地想要帮忙，帮什么忙呢？就是帮忙将佛经翻译成大家都能懂的语言。就是这种奉献的心，让他从一种、两种、三种……竟然学了三十六种语言。

如果你能像竺法护一样拥有奉献的心，不论学的是哪种语言，都会是喜悦的事！说不定还会打破竺法护的纪录呢！

小档案 竺法护

- 国籍：中国
- 别称：敦煌菩萨
- 专长：翻译
- 影响：翻译佛经多达一百五十四部、三百零九卷
- 事迹：为翻译佛经，努力学习多国语言

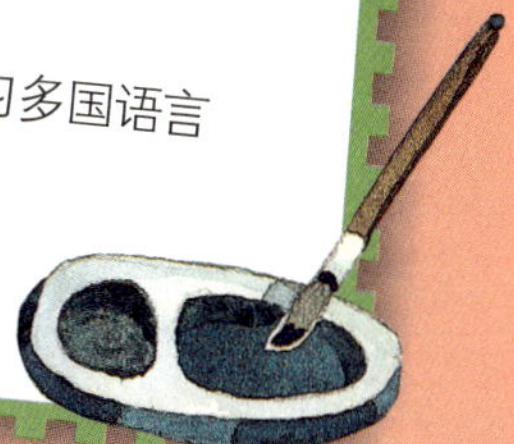

敦煌[1]古城，一座联络中原和西域各国的重要门户，也是丝路货物流通的中途停歇站，来自各国的商队骑着骆驼、载运着货物群聚于此，交织着每一个过往人的故事。

有一个月支[2]人家族，也在这里留下故事。

这个支姓家族有一个特别的小孩，他每天早晚都竖起耳朵，倾听着来自中原和西域各国人们的说话声，猜想着这是什么地方的语言？他天生对语言就很敏锐，往往只要听过一次便能记得，常常跟着异国旅人们学几句他们的语言。

八岁那一年，来了一位天竺和尚，男孩眼睛为之一亮，他很少看到天竺人，更何况是个和尚，心想：“他一定是被远方的风吹到这里来的，他来这里一定有个道理。”

❶ **敦煌**：位于中国甘肃省酒泉市，为中国古代丝绸之路重镇。以敦煌石窟、敦煌壁画闻名世界。

❷ **月支**：为西域古国，位于中国甘肃省。早期以游牧为生，后为匈奴所破，分为大、小月支。

是有道理，这位名叫“竺高座”的外国法师正是来此地弘法，他在月牙泉外的山壁石室建了佛堂，带领弟子读经修行，他还送给男孩一本佛经，但男孩却完全看不懂。

为了读懂佛经里的内容，经过家人同意，男孩拜竺高座为师，得了法名叫“竺法护”。他很喜欢这个意为“守护佛法”的名字，在师父的教导下，渐渐了解了佛陀如何教人平息烦恼、培养慈悲心等佛经所说的深意。

当时西域各国佛教非常盛行，许多从天竺来的佛经被翻译成各国的文字，甚至比中原地区还要丰富；而中原佛教徒只注重把佛寺、佛像造得很美观，却忽略了将大乘佛教经典传译到中原。

竺高座不时感慨：“我能教你的经典，你也学得差不多了。中原佛教表面兴盛，但大乘经典却少得可怜，现在又是战乱的时代，谁去管这些事呢？”

竺法护不假思索地回答：“不然，我们去西域把大乘经典翻译过来啊！”

师父愣了一下，慎重地说：“葱岭以外的西域，一共有三十六国，你得先学会三十六国的语言，才能翻译他们珍藏的佛经，这可不是件容易的事啊！”

竺法护反而鼓励师父：“不试试怎么知道行不行呢？每个人来到这个世界都有一个奉献的使命，我想投入佛经的翻译事业，把大乘佛法带到中原。”

师父对这孩子的奉献精神感佩不已，于是师徒俩轻装简从，越过葱岭，沿着人们和骆驼踩踏出来的足迹一路走去，经过了安息❸，也在楼兰❹停留，学会用龟兹❺文和当地人沟通，能够倾听高昌僧侣所说微妙佛法……他们的足迹甚至远到中亚。

凭着全心投入的意志和与生俱来的语言学习能力，经过多年，竺法护果真学会了西域三十六国的语言。加上他交游甚广，他结识了许多国家的官员和贵族，这些人不但成为竺法护的护法者，还送给他一些重要的经典。

❸ **安息**：位于波斯（伊朗）的古王国。中国从西汉即开始与安息往来，有许多安息僧人曾到中国翻译佛经。

❹ **楼兰**：西域古国名，位于中国新疆。为中国汉代通往西域的要冲，由于古代楼兰人崇信佛教，留下许多佛教遗迹。

❺ **龟兹**：西域古国名，今名库车，位于中国新疆。于3世纪起，当地佛教非常盛行，僧人曾多达一万人。

此时，竺法护已经是二十七岁的青年了，西晋也在这一年在洛阳建国。

西晋朝野对佛教的信仰相当普遍，光是洛阳、长安两大京城，陆续建造的佛寺就有一百八十多座。

竺法护满载着佛经，只身前往长安，借住在一间小佛寺里译经。消息传到了白马寺，第二年冬天白马寺就邀约竺法护，前来举办一场译经法会。

“听说白马寺来了一个名叫竺法护的敦煌和尚，要在译经法会上，翻译中国第一本《佛说须真天子经》[6]，要去听法吗？”

“敦煌和尚？没听过！有空再去吧！”

尽管人们口耳相传，来了一个会翻译大乘佛经的敦煌和尚，但十一月的寒风还是把人吹得躲在家里。大家对这位名不见经传的敦煌和尚也不怎么感兴趣，只来了几个真正热衷佛法的人，但译经法会还是郑重地如期举行。

[6] **《佛说须真天子经》**：内容为须真天子先以三十三项问题问佛陀，再以三十二事问文殊菩萨，佛陀及文殊菩萨皆一一回答。

只见一位气质不凡、外表有着胡人轮廓的文雅和尚伫立在大殿上，一旁有担任口译传话工作的法师，有负责记录的专人，还有其他校订错误的人员……偌大一个译经场的阵仗，排列在不到十个信众面前。

但竺法护不以为意。译经不是作秀，也不是为了博取名声，而是为了正法的传播。就算只来一个人，只感化一个人，也是值得的。

法会正式开始后，他浑然忘我地全心投入于译经，不时以梵语[7]夹杂着胡语和汉语，流畅地介绍经典的内容，每一个字、每一句话都像宝石一样，道出了无比可贵的法音。

[7] **梵语**：又称天竺语，为古印度的标准语言，是《吠陀经》《梵书》《森林书》《奥义书》与北传佛教圣典所用的语言。相传此语言由梵天所造，所以称为梵语。

而一旁负责传话、记录、校订的人，则尽责地忙着协助翻译工作，专业的程度让大家都叹为观止，也让在场的人仿佛亲自聆听佛陀说法一般，充满了无比的喜悦。

“感谢各位来参加这场庄严的法会，你们都是有福的人，才能听到这一部佛教的宝贵经典，如果可以的话，欢迎明天再来！”法会结束后，竺法护再一次向大家致谢，众人也恭敬地合掌回礼，心里更感谢这位敦煌和尚。

第二天，寒风还是猛烈地吹着，法会还没开始，原本的信众早已在位子上坐定下来，其余的位子也多出一些陌生的新面孔。原来是昨天的法会太成功，有人慕名专程而来。

第三天，前来听法的人，又比之前多出一倍。

等到法会进行到一半时，所有的受众席位几乎都已经坐满了，但竺法护脸上并没流露出一丝得意，他在意的是译经的质量，文字要能忠实传达原意。由于他精通三十六种西域文，所以翻译的速度非常快，前后五十二天，就把这部经给翻译完了！

从这一年开始，到往后四十三年期间，竺法护完全投入译经的工作，总共译出一百五十多部佛经，最著名的包括《光赞般若经》[8]《正法华经》[9]《渐备一切智德经》[10]等重要的大乘经典。他不仅掀起西晋佛教译经活动的热潮，也开创了中国译经的体制。因为这些对佛法伟大的奉献，后来的人便尊称他为“敦煌菩萨”。

❽**《光赞般若经》**：又称《光赞经》。

❾**《正法华经》**：为现存《法华经》最古老的版本。

❿**《渐备一切智德经》**：为《华严经·十地品》的另一个译本，内容主讲大乘菩萨修行的十个阶段。

才气惊人的大律师

大师密码 Discipline 纪律

“传奇的一生”或许是对弘一大师最好的形容了。他不但是有名的书法家、画家、篆刻家、音乐家，在保守的 19 世纪初还开风气之先，引介西洋音乐、绘画、戏剧到中国，并曾在日本东京反串“茶花女”演戏，轰动一时！

这样一位人人称羡的浪漫才子，却在 1918 年放下“李叔同”这个名字所拥有的种种荣耀，在杭州虎跑定慧寺出家，成为弘一法师。过去的才华、风光，竟然说放就放，潇洒得让朋友不敢相信。更让人讶异的是，他竟然选择最困难的“戒律”来研究，而且还成为近代复兴律宗的一位大师。

从此，弘一大师成为修行与艺术的典范。

小档案 弘一

- 名字：李叔同
- 国籍：中国
- 别称：晚晴老人
- 专长：书法、音乐
- 影响：弘扬南山戒律
- 事迹：发愿一生精研戒律，并以身作则

有一首歌，动人悦耳，描述友情的真挚可贵。

长亭外，古道边，芳草碧连天。
晚风拂柳笛声残，夕阳山外山。
天之涯，地之角，知交半零落。
一壶浊酒尽余欢，今宵别梦寒。

这首意境优美的《送别》，正是近代最有名的才子僧人弘一大师（李叔同）的作品。

李叔同出身天津盐商望族，年少时就展露出不凡的才华，无论文史诗词或书法金石，都表现优异，而且他的爱国心十分强烈，对于当时康有为和梁启超的变法运动，非常支持。也因此，当变法运动失败后，十九岁的李叔同便带着母亲迁居上海，避免受到波及。

上海是中国的商业中心，也是人文荟萃的文化重镇，踏入十里洋场的李叔同，展开了他一生中最活跃多彩的时期，不但和文人名士结交往来，还组社办报，吟诗填词，发表书画作品，后来还进了南洋公学就读。

1905 年，他最挚爱的母亲过世了。伤心之余，李叔同收拾行李，到日本留学，除了专攻绘画，也学习音乐，还拜日本戏剧家藤泽浅二郎为师，公演了《茶花女》《黑奴吁天录》，广受好评。回国后，李叔同致力于西洋音乐和美术的教育工作，培养艺术人才，像丰子恺、刘质平，都是他得意的学生。

在杭州任教时，有一次好友夏丏尊向李叔同介绍断食的好处，他听了后很感兴趣，便利用寒假跑到西湖定慧寺进行十七天的断食，体验到身心一片清明。另一位研究佛学的好友马一浮，也常借佛书给他阅读。而马一浮的一个朋友在定慧寺出家时，李叔同刚好也在场，亲眼看他落发[1]，大受感动。来年，年将四十岁的李叔同把所有艺术作品都送人，也在定慧寺出家了，成为弘一和尚。

❶ **落发**：剃除头发出家。

李叔同出家的消息震惊了社会，但弘一却做什么像什么，出家后专研律宗，过着完全清净的修行生活，一衣一钵、过午不食❷，持律的严谨，简直到一丝不苟的程度。

有一次，弘一到学生丰子恺的上海家中做客，丰子恺请他坐到藤椅上。

只见神情宁和的弘一，很谨慎地把藤椅摇了摇，然后再慢慢坐下去，好像怕压到什么东西似的。丰子恺虽然觉得老师这举动很奇怪，一开始也不以为意，但后来看弘一几乎每次都这样，于是便忍不住问：“椅子有问题吗？”

弘一笑笑：“这椅子的两根藤条之间，也许会藏着小虫，我怕突然坐下去会压死它们，所以先摇一摇，再慢慢坐下去，让它们有时间走开。”这个微细举动背后的慈悲情怀，让丰子恺敬佩得简直说不出话来。

弘一也常对人说：“戒律是律己的，如果不以戒律律己而去律人，那就失去学戒的意义了。”

❷ **过午不食**：佛教戒律规定出家人必须在早上到中午的时间内进食，超过这个时限如果还进食，称为非时食。

除了自己严守戒律外，弘一对于律学的提倡，更是不遗余力。通过他研究整理出来的律学著作就有数十种，他还推动南山律学院的创立。受弘一影响，有不少青年僧侣发心向他学律，热心地听讲研究，还效法他严守戒律。

有一次弘一带领着这一群学律的弟子到泉州开元寺讲学，这些学僧早晚认真用功，也很守秩序，大家都称赞不已。弘一也非常开心地说："有一天黄昏，我在学僧宿舍前面的大树下站着，各房灯火发出明亮的光，诵经之声朗朗入耳，一时心中觉得无限的欢慰。"

但是隔天黄昏上完课了，许多僧人忘记了课外不准闲谈的规定，站在走廊上不知不觉聊起天来。弘一得知后，立刻请其中一位法师过来，严肃地说："公约都不能遵守了，要怎么学律？明天起就不必再讲课，大家都解散了吧！"

学僧们经过这番提醒后，在佛前向弘一请求忏悔，并保证下次绝不会再犯，才平息了这场风波。

可见弘一对僧团教育是非常重视的，平时虽然平易近人，但在弘律说法时，却不轻率。而且学僧们也知道，弘一不只是要求他们而已，他自己更是处处以身作则。尽管生活俭朴，他在细节上却一点都不含糊，比如一双僧鞋穿了十五年，但礼佛的鞋、平常穿的鞋、外出和上厕所穿的鞋，都分得清清楚楚。

次年，厦门南普陀寺的常惺法师为了要整顿闽南佛学院，特别请弘一前来任教。弘一到了南普陀寺后，发现整顿的因缘还没成熟，所以就没去学院，寺方安排他住在山后的房舍，那是寺里前任住持和各方长老所住的僧房。他向常惺法师辞谢，坚持住到寺前左边的小楼：“我既非前任住持，也不是各方长老，你只要把我当成一个普通的和尚，不须多麻烦。”

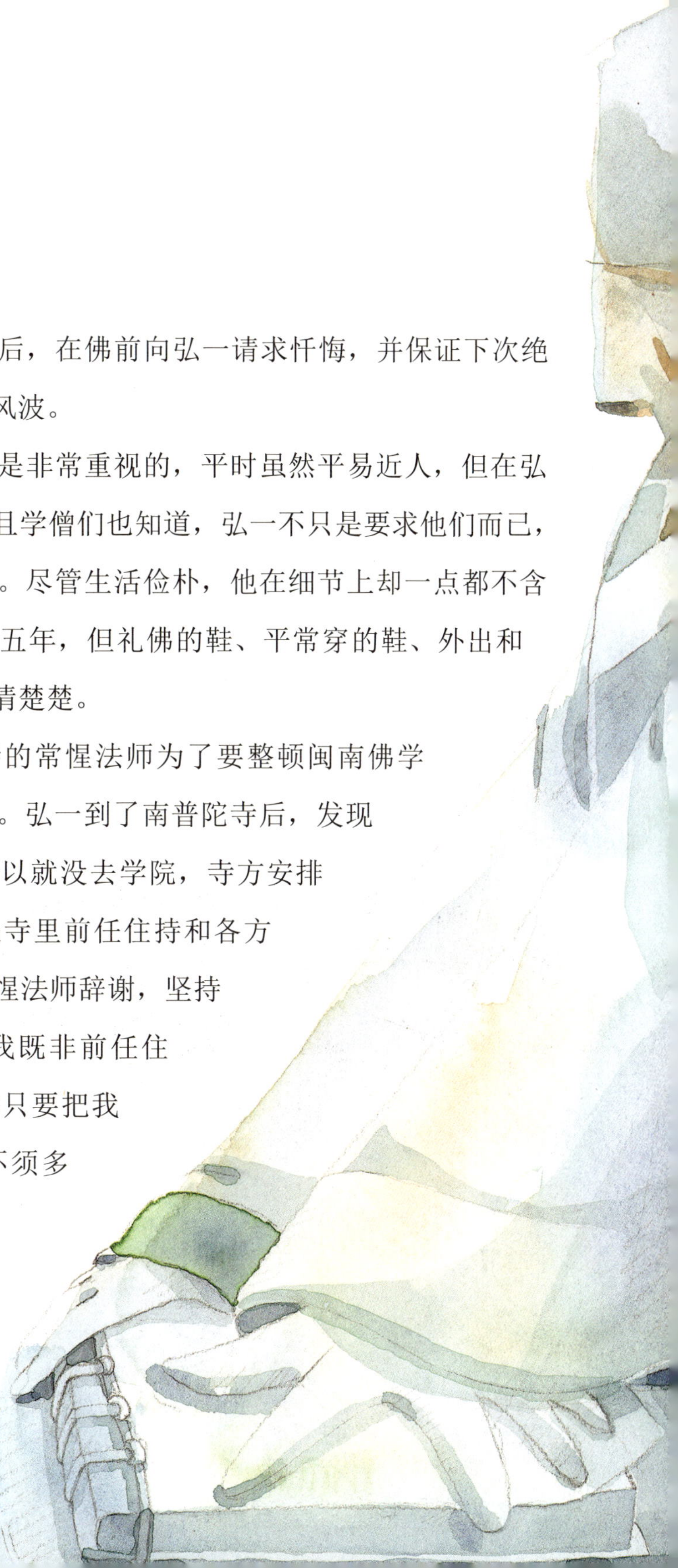

“法师，让您住在这里实在说不过去，还是请您搬到我们安排的房舍吧！”经过常惺法师再三恳请，弘一才勉强答应，但附带一个条件，就是每天饮食要和寺里的大众一样，不能有特殊待遇，否则宁愿离去。

同时弘一婉谢了所有的设斋款待，他还特别写信给常惺：“我住在这里已经过分了，如果再不能跟大家同甘共苦，会让我于心不安！”

房舍外的几株桃树在五六月间结满了果实，看起来红润可口极了！看管的人想要摘几颗大桃子来供养弘一，他赶紧制止：“这是犯戒的！僧院的公物应该由住持来处理，不能私底下取用。”寺方知道后，采用弘一的办法，派人来摘果实，一一地分给大家。

从一个阔绰的富家公子，到名满海内外的艺术教育家，最后成为受人尊敬的一代律师，这位才子僧人，就是凡事秉持着认真严谨的态度，而能在每一个生命阶段发光发热，备受各界的推崇景仰。

勇闯地狱救母亲

大师密码 Dutiful 孝顺

拥有“天眼通”的目犍连，恐怕是视力最好的人吧！因为不论在哪里、什么东西，只要他想看的，随时都看得到。可是当目犍连看到去世的母亲在地狱受苦，连一碗饭都吃不到时，却发现即使天眼通再厉害，不能救出母亲又有什么用呢？

他原本是印度贵族，从小就受到父母的细心栽培，随佛陀出家后，聪颖的他才短短一个月就悟道了。一向孝顺的他，总是不忘父母的恩情，所以当他知道母亲竟然身陷地狱时，便全力展开抢救，不惜自己跑到地狱去。佛陀也传授了他解救的秘诀。他为了救母所举办的斋僧活动，后来成为佛教的重要节日盂兰盆会。“目连救母”的孝顺故事更是传颂千古。

小档案 目犍连

- 国籍：印度
- 别称：佛陀十大弟子“神通第一”
- 专长：禅修
- 影响：目犍连救母，为后世盂兰盆会由来
- 事迹：目犍连救母，成为“孝顺”典范

每年农历七月十五日，佛教界都举办盛大的“盂兰盆会[1]”。盂兰盆会是佛教根据《佛说盂兰盆经》[2]的记载，所举行的超度历代宗亲的仪式。盂兰盆会的起源和佛陀弟子目犍连救母的故事有关。

目犍连是古印度摩揭陀国人，他和另一位从小一起长大的好朋友舍利弗一样，都是出身最上流社会的婆罗门家族。

目犍连的父亲富相不仅地位崇高，而且家财万贯，加上他为人乐善好施，对于出家人十分礼遇，所以非常受人敬重。可是目犍连的母亲青提完全相反，她虽然年轻貌美，却是个爱财如命的吝啬鬼。也不知道为什么，她就是不喜欢出家人。而目犍连则和父亲一样，从小对于出家人都特别敬重。

❶ **盂兰盆会**：佛教徒于每年农历七月十五日举办的法会，以超度祖先与鬼道众生。

❷ **《佛说盂兰盆经》**：盂兰是 Ullambana 的音译，意思是倒悬。表示亡者的痛苦，就像是被倒悬一样。依本经所举行的盂兰盆会，普遍流行于中国民间，对孝道产生重大影响。

富相过世后，目犍连转眼也成年了，有一天他要外出，临行前还叮嘱母亲要记得供养那些前来化缘的僧人，但是母亲没有听他的话，不但把大门深锁，完全不理会那些定期来乞食的僧人，事后还骗目犍连说：“我要是对出家人不好，就不得好死！”

没过多久，母亲竟然就意外过世了！在将母亲安葬后，伤心的目犍连更加专心于修行。他和好友舍利弗在当时已经是很有名的修行者，各有五百名弟子，但有一次，舍利弗在王舍城听见佛陀弟子说法，谈起佛陀所开示的人生真理，对佛陀大为钦佩，便邀目犍连一起投入佛陀门下。

在佛陀的教导下，方脸大耳的目犍连很快就证得阿罗汉[3]果位，并且具有神通力，不但可以看到浩瀚宇宙，也能听到细小虫子说话的声音……

佛陀一向不主张弟子们显露神通，却称许目犍连的神通，因为目犍连不会滥用，都是为了教化别人才会施展神通。

在一个热带锦葵花开得特别灿烂的夏日，正在打坐的目犍连忽然忆起今天能蒙受佛陀的恩泽得到开悟，说起来应该感谢母亲。母亲一生为他奉献牺牲，却毫无怨言，这一思念让目犍连不禁想到："母亲过世多年，现在她在哪里呢？"

他闭上眼睛，不知不觉就神游到一个奇怪的地方。他的天眼[4]看见了一群络绎不绝、饥渴憔悴的饿鬼[5]，正你挤我推地在抢夺食物，但每一个都抢不到，就算抢到了，咽喉像针缝一样细，食物根本吞不下去，真是可怜极了。

目犍连惊见母亲竟然也在饿鬼群中，并且被众鬼推倒在旁，虽然饿到皮贴骨，肚子却大得像囊袋，跟她过去的美丽简直不能相比。他因此伤心地大喊母亲。

[3] **阿罗汉**：简称为罗汉，为断尽烦恼，超越生死轮回，修行成正果的佛教圣者。

[4] **天眼**：有天眼的人，眼睛能像天人一样看见遥远微细的事物。

[5] **饿鬼**：佛教认为前生做坏事、贪欲重的人，死后会生为饿鬼，受饥渴痛苦。

母亲看见了他，哀号地哭喊着：“我好饿啊，救救我！”

目犍连想也不想立刻拿出自己的钵，运用神通力，将钵中注满美食，送到母亲面前。不料，母亲才一张开嘴，火焰就从嘴里喷出来，把整碗饭烧成焦炭。

眼看母亲就是有饭也吃不到，目犍连两行泪水夺眶而出。想起小时候母亲总是把最好的食物留给他，一口口耐心地喂食。好像孩子吃饱了，母亲也跟着饱了。而现在，无助的目犍连，只能在一旁干着急，却不能让饿坏的母亲吃到一口饭。

正懊恼时，眼前的景象突然消失了。他又回到了现实，对于刚才那一幕，余悸犹存，于是赶紧跑去请示佛陀：“我刚刚梦见我母亲正在饿鬼道受苦，心里非常难过，不知道有什么方法可以帮助她脱离苦海？”

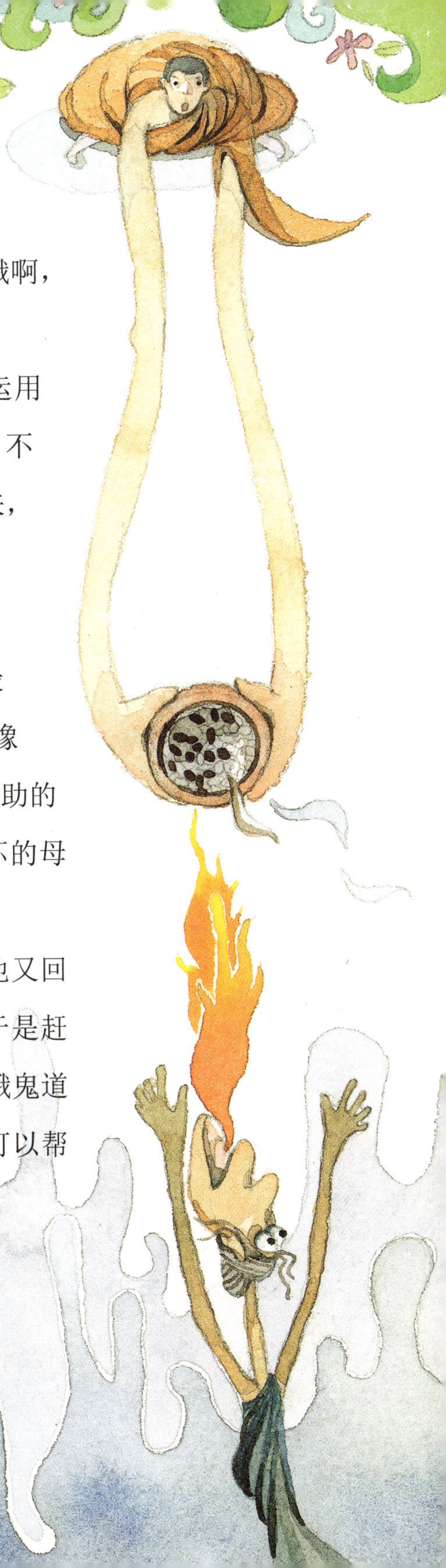

佛陀徐徐回答：“你的母亲生前因毁谤佛法僧，而且不信因果[6]的道理，处处与人斤斤计较，所以死后才在饿鬼道受苦。”

目犍连听后点点头，哀伤地说：“是啊！母亲现在正是如此！”但他仍不放弃地问：“有什么办法可以救我的母亲呢？”

佛陀摇摇头：“你虽然孝行可嘉，但你母亲的罪业非常深重，以你个人的力量是没办法救她的！”

目犍连一听，眼泪不由自主地落下来了。

慈悲的佛陀不忍心让目犍连失望，想了想，说：“现在只有靠整体僧团的力量才有办法救她。每年夏季，僧团会闭关三个月，全心修习佛法，在最后一天七月十五日功德最圆满的时候，你可以去供养他们，祈求他们用虔诚的心，共同为你母亲祝福，或许就能助你母亲脱离饿鬼道。”

目犍连听了非常欢喜，立刻筹集供养的资财，准备了美味的斋饭，在七月十五日这一天恭敬地供养所有圣僧，请大家齐聚一力，为他的母亲祈福。

绵绵不断的祝福，就这样传到了遥远的世界……

[6] **因果**：指原因与结果，也就是因果律。是佛教用来说明世界一切关系的基本理论。

这一晚无比宁静，熟睡的目犍连梦见一位相貌殊胜的天人前来向他叩首，对他说：“我是你的母亲，因为你的孝心救度，种下了大福德，不但使我解脱，也使许多其他饿鬼们都解脱了，所以我特别来感谢你。”说完，母亲就和一群天人一起，像美丽的白鹤远扬飞啊飞，飞到了天上的宫殿。

这就是七月十五日盂兰盆会的由来。在这一天，做子女的人如果能虔心供养僧团、诵经祈福，将会让七世的父母都得到福乐，这也是效法目犍连尽孝道的最好时机。

香菇、奇遇、只管打坐

大师密码 Determined 决心

以“只管打坐”闻名的道元禅师，真的“只管打坐”，其他通通都不管吗？那他是不是除了打坐，就什么都不会呢？

这样的误会可大了，出身名门贵族的道元禅师，从小就受到特别的栽培，后来父母去世，因此体会到人生无常的深刻道理，决心学习佛法。他遍访日本有名的法师，都没有办法解除对修行的疑惑，于是决定用最时髦先进的做法——到中国留学。

到了中国，原本准备好好用功，却巧遇一位负责寺院厨房工作的老法师，让他了解到过去只知道看书讲道理，却忽略了日常生活的实践：吃饭、喝茶……原来都是修行啊！这一百八十度的大转变，让他的修行突飞猛进，他后来将在中国的领悟带回日本，成为日本曹洞禅的开山祖师。

小档案 道元

- 国籍：日本
- 别称：日本曹洞禅开山祖师
- 专长：禅修
- 影响：创建水平寺，提倡“只管打坐”的默照禅
- 事迹：突破万难到中国学习禅法

东海有一艘船，正面临暴风雨威胁。船在高如巨人的浪里翻来覆去，让道元、明全禅师和其他一起去中国的日本和尚们，全部跌撞在一起。年轻的道元更可怜，他前两天才得了痢疾腹泻不停，又经过这一番折腾，简直是在鬼门关口打转。恍惚中，往事一幕幕袭上心头。

道元出生在日本最有权势的名门家族，可是幸福的日子很短暂，才三岁父亲就突然去世，八岁时母亲也跟着过世。他听了妈妈的话，十四岁出家当和尚。受戒后的道元虽然有求法的决心，可是对于所接触的佛教道理，还是充满疑惑。

“既然每个人本来就具有佛性[1]了，为什么还要出家学佛呢？”

[1] **佛性**：佛教认为众生皆有佛性，只是被烦恼、执着等遮蔽了。佛性是众生都能成佛的本性。

带着满肚子的问号，这位求法心切的少年沙弥，踏上通往建仁寺的青苔石阶，向当时已经七十四岁的荣西禅师❷请教。老禅师回答：“你这个问题表面看起来好像冠冕堂皇，其实是你想太多了！先把它丢掉！好好坐禅才是。”

❷ **荣西禅师**：日本临济宗开祖。他所建立的圣福寺，此为日本禅寺创始之举。并曾于京都创建仁寺，融合台、密、禅三宗而形成日本的临济宗。

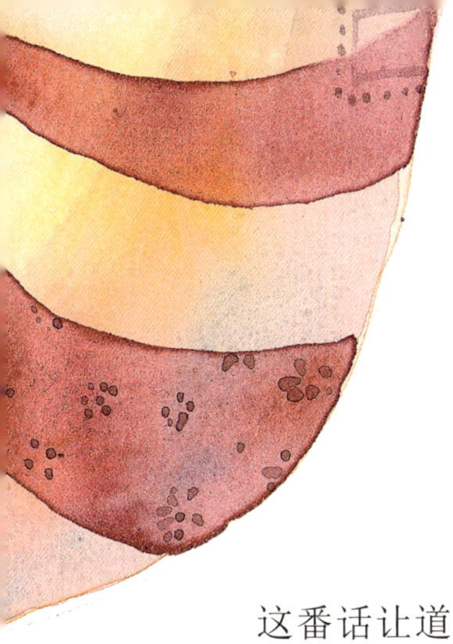

这番话让道元茅塞顿开，他决定追随荣西禅师修行禅法。但是，次年荣西禅师却不幸去世，他的高徒明全继续教导道元。九年时光过去，道元跟着师父明全等人，登上五年才开航一次、前往中国的商船，准备到禅法盛行的中国留学，并将中国禅法的精华带回日本。没想到船走到一半，就遇上这场可怕的暴风雨，不知道能不能安然渡过这一关。

道元不禁感叹："昨天的海还是一面平静的镜子，今天却像是怒吼的狂狮，人生的变化真快速啊！再不下定决心好好学佛，万一死了就来不及了。"

于是，道元不顾周围的混乱，全心全意地静坐，试着在混乱之中安定身心。奇妙的是，经过了一天一夜，船平安驶离暴风范围，道元的痢疾竟然也不药而愈。

终于，船顺利抵达了宋朝明州（宁波），从辽阔无人的大海来到喧闹的港口。道元将手中的两只包袱，交给了明全师父，师父叮嘱他："你先留在船上等我的消息，我去跟天童山的住持商量一下，让你能顺利上山。"

道元因为出家的资历未满中国佛寺的挂单[3]资格，所以暂时去不了天童山，师父要他待在船上等候。没想到，在这艘满载着日本香菇的商船上，一待就是三个月。

一个安静的黄昏，空荡荡的船上，突然出现一袭袈裟服的身影。道元还以为是师父回来接他了，兴奋地跑过去，才看清楚对方是一位中国老和尚。虽然如此，道元还是很高兴地用中文向他请安。

老和尚看起来慈眉善目，非常亲切地对道元说："我是阿育王寺的典座[4]，明天是端午节，特地来这里买香菇做素斋，供养寺里的僧人。"

"阿育王寺在哪里呢？"道元听过阿育王寺，却不知在哪里。

"离这里几十里路远，我买完香菇就得赶回去。"

❸ **挂单**：游方僧侣到寺院寄住。

❹ **典座**：负责寺院大众伙食者的职称。

听说老和尚马上要走，道元有些不舍：“请和尚再多留一会儿，让道元奉个茶水，再走也不迟。”

老和尚摇摇头：“不行，我得赶回去准备明天的斋饭。”

“寺里没其他负责的僧人吗？还要您亲自操持？”

老和尚认真地回答：“你有所不知，我领了这份职务，得做年轻人的典范，可不能随便呀！而且我这是出公差，不好耽搁。”

道元见这老典座年纪不小，还这般奔波，便说：“您老人家不辞劳苦，来回走了几十里路只为了买香菇。以您的高龄，大可留在寺里读读经就好，何不让年轻的僧人来买呢？”

老和尚提起整袋的香菇，说："这是我自己的修行工作，怎能让别人来做！而且'文字'和'修行'是不同的，我欢欢喜喜来买香菇做斋饭，就是真正的修行啊！"

道元一听，知道老和尚不是平常人，赶忙追问："什么是文字？什么又是修行？"

老和尚哈哈大笑，说："做什么事都要专注于眼前，就对了！我赶时间，找个机会再聊吧！"说完就背着香菇下船了！

不久，明全师父终于来接他前往古朴幽深的天童山，一起在无际了派禅师的座下修禅。十月秋高气爽，寺里来了一位客人说要拜访道元，道元满脸疑惑地跑到会客室一看，原来是阿育王寺那位认真的老典座。

老典座向他打个揖："我已经圆满完成典座的工作，准备回乡，今天特地来向你辞行的。"

"请您为我解答上回提出的问题吧！"道元没忘记上回见面还留下的疑问。

“当你研读经文上的文字，你只是了解其中的意思。而修行呢？就是你要去做，把经文所讲的修行方法化为行动，这样你才能明白佛法的真谛。世界上的万事万物都是我们修行的对象。所以，不能只读经文而不去做！”

“哦——”道元恍然大悟，原来佛法不能只拿来当作学问，还要真正地实践，不是嘴巴说说道理就算学佛。

当道元在天童山修行到很高的程度后，便到各大禅寺四处参访。可是游历了一趟下来，好像都没有适合自己的老师，不免有点失望：“我来中国已经三年了，看来中国已经没有人可以当我的老师了，还是回日本算了。”

于是，道元回到天童山想跟明全告别。在去天童山的路上，听说如净禅师刚接任天童山的住持，他才恍然想起在他四处游历期间，有一位老僧人曾经跟他说过：“整个大宋，就只有如净禅师适合做他的老师。”

这位以禅坐闻名、勤奋不已且远离权势名利的如净法师，果然是道元寻觅已久的良师。在如净的指导下，道元终于体悟到最究竟的真理。之后他回到日本弘扬禅法，成为至今拥有一万五千座佛寺的日本禅宗曹洞宗[5]的开山祖师。

[5] **曹洞宗**：中国禅宗五家七宗之一，以洞山良价为宗祖，以“默照”为修行的方法。日本曹洞宗的初祖为道元，以永平寺为曹洞宗本山，迄今不绝。

秀出真正的实力

大师密码

Diligence 精进

五十岁才当学生，会不会太晚了呢？

原来博学多闻、文质彬彬的神秀，一点也不担心自己的年纪，开开心心追随禅宗五祖弘忍学禅。而且愿意放下身段，卷起袖子，不论是挑水还是砍柴，样样都不嫌累。

神秀后来成为弘忍大师座前的第一大弟子，但偏偏来了个不识字的惠能，竟然一下子就继承弘忍成为六祖。多年的刻苦修行，就这样白费了吗？身边的人都为他抱不平，八卦传言满天飞。

但是神秀却丝毫不受影响，因为名望、地位原本就不是他追求的目标，他知道自己要的是什么，该走的路是什么，根本不管外界的风风雨雨，照常用功。果然后来的人，把他和惠能并称“南能北秀”，可见他的功夫和修为！

小档案 神秀

- 国籍：中国
- 别称：大通禅师
- 专长：禅修
- 影响：与禅宗六祖惠能并称“南能北秀”，为北宗禅祖师
- 事迹：五十岁高龄学禅，不怕劳役，默默用功

清晨四点钟，天快亮的时候，一名僧人打开了寺庙的大门。他身高八尺，肩膀横着一根扁担，挑着两个空桶子，独自走向崎岖不平的山道，顺着淙淙的溪泉声而去，两旁巨大的针叶林陪伴着他。他步伐踏实而坚定，对于每天例行的挑水工作乐在其中，感到十分怡然自得。

他走到了泉源处，拂晓的朝阳照在他浓眉秀眼、长相威严却略带苍老的脸庞上。原来他是一个五十岁的中年人。已经五十岁的中年人，还在干这种粗活，他不觉得苦吗？这可不是一般人做得到的！

他的名字叫神秀，从小就博学多闻，读书非常用功，很早便把所有的经史子集都读遍了。二十岁时，他在洛阳的天宫寺出家，同样发挥他的用功精神，踏上学佛之路。

岁月匆匆而逝。五十岁的他，有一天来到湖北黄梅县东北方的双峰东山寺，参拜禅宗五祖弘忍法师，立刻就被弘忍“坐禅”的修行方式给吸引。他非常欢喜，心想：“这才是我真正的老师呢！”便下定决心要跟随弘忍学习，也不管自己的年纪有多大了，很认真地从头开始学起，挑水、打柴，从这些最基本的生活杂役中体会佛法、自我锻炼。

一天天重复这些单调的体力劳动，一般人可能会有很多不满的情绪，例如会抱怨：“好累啊！快受不了了！”或者“为什么不去研究佛经呢？一直在做这种无聊的工作。”但神秀不一样，他的心反而愈来愈沉静，内心好像有一个天然的扫把，自动把这些不好的想法扫除掉。

这样老老实实挑水打柴的生活，不知不觉随着山上佛寺的钟声度过了六年，清澈的泉水也照出神秀脸上又多出六道细细的皱纹。

师父暗中对神秀观察了很久，知道他的禀赋不错，也很赞赏他始终勤勉不懈的精神，能将佛法运用到生活中的每一个事物，于是更加地器重他，让他转而教导其他的门徒。师父还曾经对别人说：“我这一辈子教过的人不少，但就观照自己的心性和对佛法的理解而言，还没有人超过神秀。”而神秀对于佛法的领悟力，确实也超过同门师兄弟，所以大家都非常推崇他，认为他是师父最好的传承者。

这一天傍晚，斜照的夕阳在新雨后的空谷折射出一道奇特的彩虹，一场盛大的法会已经进行到最后，“当——”古老的钟声一响，正好作为结束的句点。师父开示完毕，突然对准备散去的七百名僧徒宣布：“你们每个人去作一首佛偈[1]，写出你们所悟到的佛法，我要用这首佛偈来决定以后的衣钵传人。”

所有的人都看向神秀，觉得根本不用比，衣钵传人一定非他莫属了。神秀心底也确实有一首佛偈想写出来，但觉得这么早就写出来，怕别人误以为自己觊觎传承的位子。可是不写出来，又怎么知道自己对佛法的见解有多深。隔了老半天，才终于在长廊的墙壁上落笔写下：“身是菩提树，心如明镜台。时时勤拂拭，勿使惹尘埃。”

[1] **佛偈**：中国僧侣所写蕴含佛法但不押韵的诗。通常四句为一偈。

这也是神秀一直以来学佛的态度，在祛除烦恼、保持内心清净的修行过程中，总是抱持着努力不懈怠的精神。

弘忍看到这首佛偈，知道是神秀所写的。他看了看，觉得很适合一般程度的人修持，于是称赞："如果有人按照这首偈来修行，一定可以慢慢进步而有好的成绩。"

大家都以为神秀笃定可以继承衣钵了，可是隔没两天，长廊的墙壁上竟然出现了另一首偈语，墨汁还有些许潮湿未干，显然是刚写上去不久的："菩提本无树，明镜亦非台。本来无一物，何处惹尘埃？"

原来是从岭南来的一位樵夫惠能请人代写的。虽然他不识字，却是一个天赋异禀的修行者。这首佛偈一写出来，众人无不惊讶得议论纷纷：“真是他写的吗？才多久而已，这南方来的蛮子竟也有这等成就！”眼下出现一个竞争高手，所有人都睁大眼睛看弘忍师父如何评论。

弘忍心中一震，知道这首“顿悟”的偈语，是上等程度的人才有的体会，但看到大家这样大惊小怪，怕有人会因嫉妒而伤害他，便用鞋子把偈子擦了，嘴里还故意嘟囔着：“这也没什么！”

不过，几天后弘忍还是把衣钵传给了惠能。因为怕其他崇拜神秀的弟子们不服，还叫他远走到南方，以避免可能的争议和攻击。

神秀虽然没有得到衣钵，但他并不觉得丢脸，没有丝毫嫉妒，也不跟着其他弟子们去追赶、抢夺衣钵。师父的衣钵已交给合适的人选，自己不必再背负众人的期待，反而有一种轻松感，可以更专注于修行。神秀闭门修行，以“渐悟”的方式，更精进地进入更深一层的领悟，并得到很大的进步。毕竟只要肯全力以赴，一步一个脚印，终会有所成。

时光悠悠，转眼神秀已是七十岁的老人了，五祖弘忍也在上元年间过世。身形更显庄严的神秀，只身来到了湖北江陵当阳山的玉泉寺，住在寺旁的山上，积极地推广“禅宗渐法❷”，二十年来从各地去的学生有几万人之众。而惠能则在南方曹溪宝林山南华寺发扬“禅宗顿法❸”，门下也已经有几千名弟子。两人虽然在教导上有渐顿之分，在佛法的传播上，却同样有所贡献。

❷ **渐法**：经长时间循序渐修，渐入彻悟境地的教法。

❸ **顿法**：帮助人在刹那间领会烦恼空性的教法。

神秀九十多岁时被当时的武则天[4]迎请进宫，接受无比特殊的礼遇。他在宫廷说法十多年后才辞世，一辈子到最后一刻都还致力于佛法的推动。

对于一个真正的修行人而言，所有的进步都是今天的自己和昨天的自己互相比较，而不是和其他人比较，这也是神秀一辈子精进不已的真正原因吧！

[4] **武则天**：中国历史上唯一的女皇帝，信奉佛教极为虔敬，积极供僧、造寺、塑像、写经。